EASTER

Activity Book

Easter Basket Stuffers: Easter Activity Book
By: Puzzle Masters
ISBN: 978-1-944093-10-5

Puzzle Masters logo created by Chloe Guillemard exclusively for M&MG Publishing, LLC.

Draw a line between matching eggs

Connect the dots and color the hidden image!

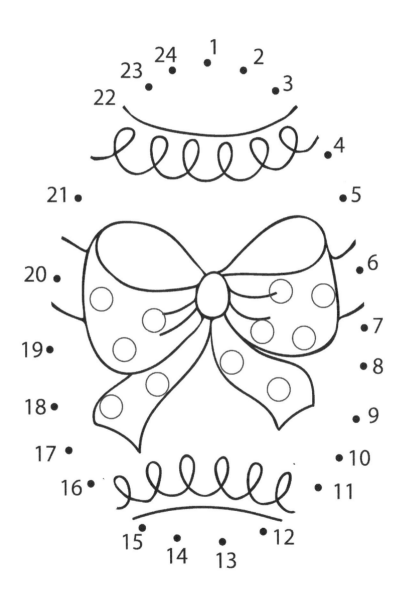

Copy the image using the grid on the next page.

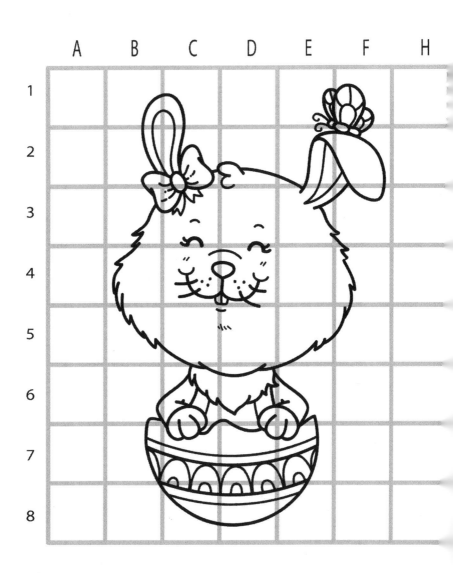

A	B	C	D	E	F	H

Word Search Puzzle 1

```
J  O  S  I  P  K  I  S  O  S
X  S  T  F  A  Q  D  F  S  T
H  Z  O  D  R  W  M  A  I  J
Z  R  C  Y  A  W  R  L  I  S
K  C  P  E  D  G  S  B  W  N
F  A  I  Y  E  A  P  R  I  L
H  N  G  O  X  M  R  H  Q  A
B  D  E  J  I  T  I  T  P  W
Q  Y  T  V  X  R  N  Z  J  B
U  X  Z  D  D  Q  G  H  U  D
```

April

Candy

Dye

Grass

Parade

Spring

Find the Answer in the back of the book.

Find and circle the 5 differences.

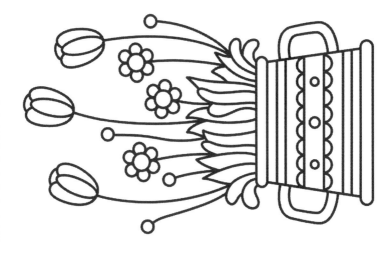

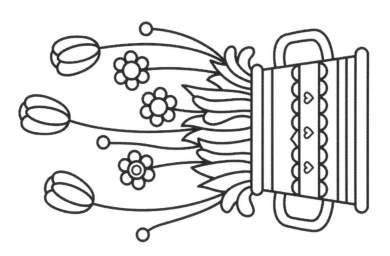

Find the Answer in the back of the book.

Design your own Easter Egg!

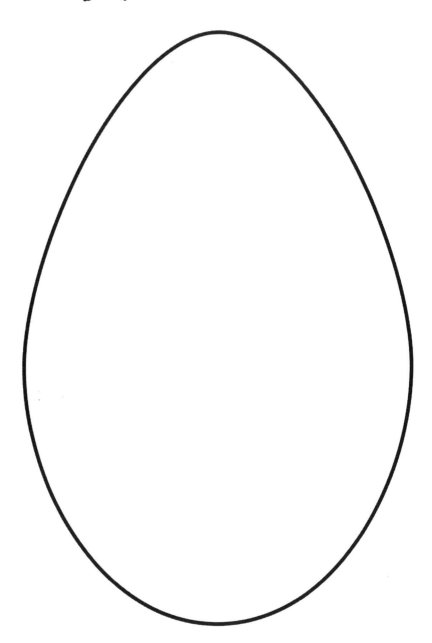

Help each bunny find their eggs.

Word Search Puzzle 2

```
B  H  Q  Z  N  T  I  K  K  J
X  N  F  I  N  D  J  X  I  E
Y  Y  D  S  L  Q  L  X  K  L
V  M  M  C  Z  L  D  C  B  L
G  C  H  U  R  C  H  Q  A  Y
I  M  J  X  Y  A  N  C  S  B
S  M  E  D  Y  O  T  D  K  E
Q  T  U  L  I  P  S  R  E  A
C  T  G  U  V  A  Z  K  T  N
C  E  E  G  G  S  H  M  A  F
```

	Basket
	Church
	Eggs
	Find
	Jellybean
	Tulips

Find the Answer in the back of the book.

Connect the dots and color the hidden image!

Help the bunnies find their friend.

Design your own Easter Egg!

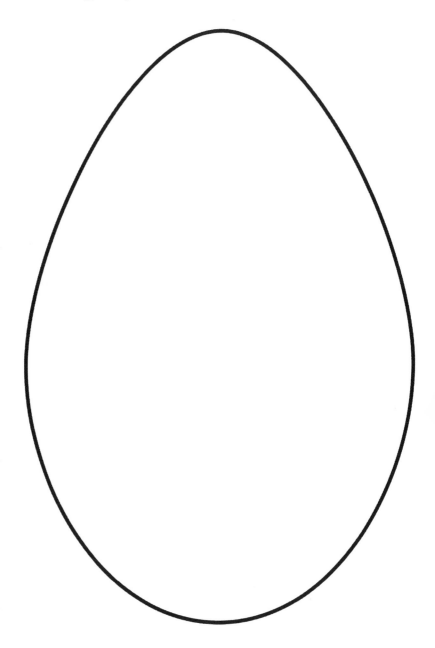

Word Search Puzzle 3

```
I  Y  C  F  K  E  G  K  R  R
I  I  I  B  C  L  H  P  E  J
G  Y  D  L  O  M  Q  T  R  A
Y  O  U  H  N  E  S  T  A  U
Q  F  N  B  P  A  I  Q  I  S
K  Z  A  L  E  D  X  T  N  D
J  F  L  O  W  E  R  S  B  N
X  H  W  O  B  K  Y  U  O  D
F  N  K  M  S  O  D  T  W  J
P  A  L  M  X  N  O  I  T  X
```

Bloom

Easter

Flowers

Nest

Palm

Rainbow

Find the Answer in the back of the book.

Copy the image using the grid on
the next page.

	A	B	C	D	E	F	H

Connect the dots and color the hidden image!

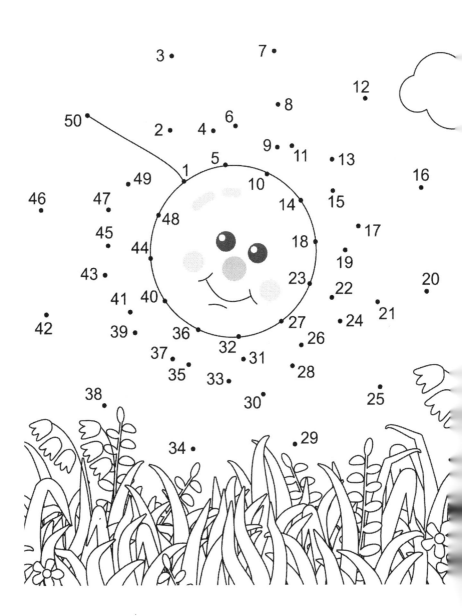

Word Search Puzzle 4

V	T	Q	E	W	A	K	A	W	S
W	X	U	N	K	G	P	O	R	E
Y	E	N	N	G	H	R	T	C	A
G	R	A	B	B	I	T	O	G	R
T	D	E	O	U	L	G	W	Y	C
J	W	A	T	N	G	A	A	J	H
O	Z	X	U	N	H	M	M	F	D
O	Q	H	V	Y	H	S	F	B	X
N	N	T	K	K	G	H	I	D	E
S	U	N	D	A	Y	J	Y	K	O

Bunny

Hide

Lamb

Rabbit

Search

Sunday

Find the Answer in the back of the book.

Find your way through the carrot maze!

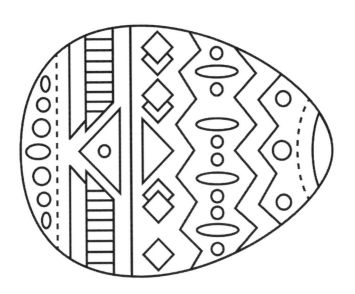

Find and circle the 5 differences.

Find the Answer in the back of the book.

Connect the dots and color the hidden image!

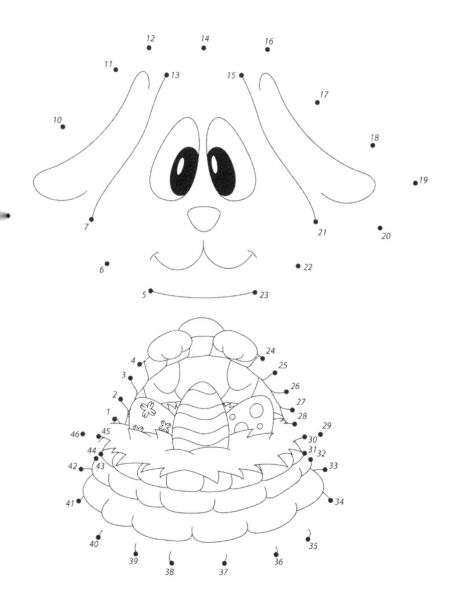

Draw a line between matching eggs

Design your own Easter Egg!

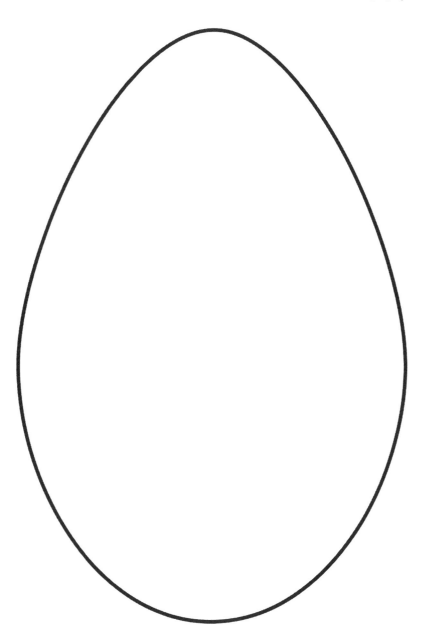

Connect the dots and color the hidden image!

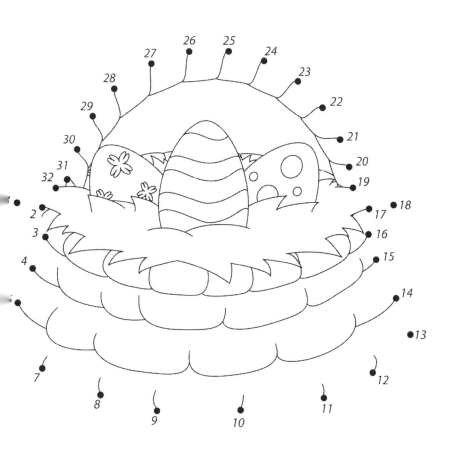

Find your way through the egg maze!

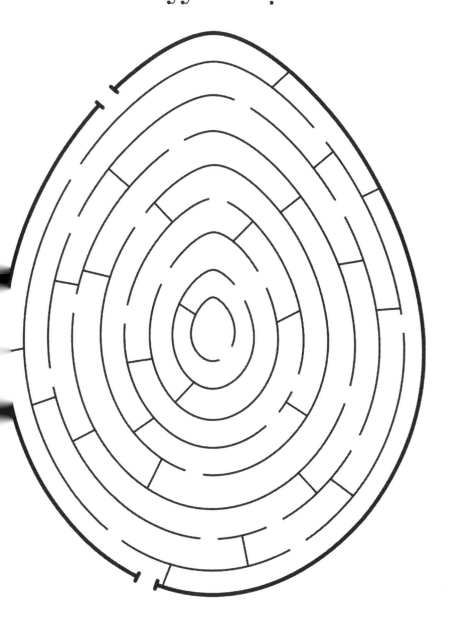

Find the Answer in the back of the book.

Word Search Puzzle 5

```
L  F  C  T  L  A  V  F  H  N
N  T  N  N  Z  O  B  W  U  Z
D  U  B  C  T  V  E  R  B  V
H  C  L  H  T  H  L  H  I  W
G  H  P  B  G  K  I  K  R  P
Y  I  B  I  B  X  L  Y  T  N
C  C  M  S  L  H  Y  G  H  Y
B  K  Z  J  E  S  U  S  W  J
O  M  H  J  A  T  B  W  W  Y
T  U  R  K  R  I  S  E  N  D
```

Birth

Chick

Hunt

Jesus

Lily

Risen

Find the Answer in the back of the book.

Draw a line between matching eggs.

Copy the image using the grid on the next page.

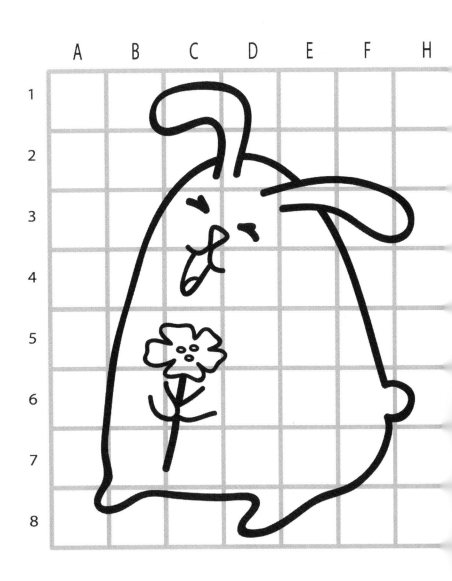

A	B	C	D	E	F	H

ANSWERS

Mazes

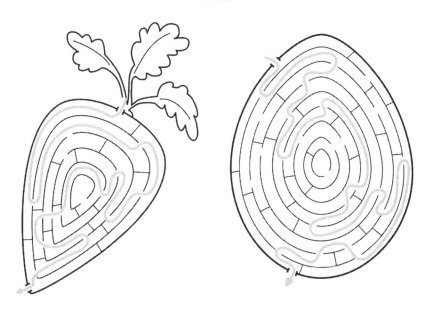

Find the Difference

Word Search Puzzles

1

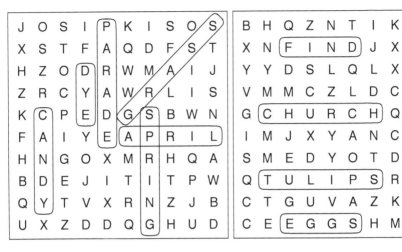

J	O	S	I	P	K	I	S	O	S
X	S	T	F	A	Q	D	F	S	T
H	Z	O	D	R	W	M	A	I	J
Z	R	C	Y	A	W	R	L	I	S
K	C	P	E	D	G	S	B	W	N
F	A	I	Y	E	A	P	R	I	L
H	N	G	O	X	M	R	H	Q	A
B	D	E	J	I	T	I	T	P	W
Q	Y	T	V	X	R	N	Z	J	B
U	X	Z	D	D	Q	G	H	U	D

2

B	H	Q	Z	N	T	I	K	K	J
X	N	F	I	N	D	J	X	I	E
Y	Y	D	S	L	Q	L	X	K	L
V	M	M	C	Z	L	D	C	B	L
G	C	H	U	R	C	H	Q	A	Y
I	M	J	X	Y	A	N	C	S	E
S	M	E	D	Y	O	T	D	K	E
Q	T	U	L	I	P	S	R	E	A
C	T	G	U	V	A	Z	K	T	N
C	E	E	G	G	S	H	M	A	F

3

I	Y	C	F	K	E	G	K	R	R
I	I	I	B	C	L	H	P	E	J
G	Y	D	L	O	M	Q	T	R	A
Y	O	U	H	N	E	S	T	A	U
Q	F	N	B	P	A	I	Q	I	S
K	Z	A	L	E	D	X	T	N	D
J	F	L	O	W	E	R	S	B	N
X	H	W	O	B	K	Y	U	O	D
F	N	K	M	S	O	D	T	W	J
P	A	L	M	X	N	O	I	T	X

4

V	T	Q	E	W	A	K	A	W	
W	X	U	N	K	G	P	O	R	
Y	E	N	N	G	H	R	T	C	
G	R	A	B	B	I	T	O	G	
T	D	E	O	U	L	G	W	Y	
J	W	A	T	N	G	A	A	J	
O	Z	X	U	N	H	M	M	F	
O	Q	H	V	Y	H	S	F	B	
N	N	T	K	K	G	H	I	D	
S	U	N	D	A	Y	J	Y	K	

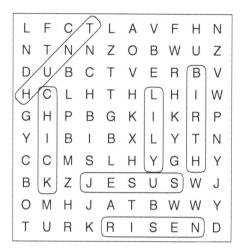

L	F	C	T	L	A	V	F	H	N
N	T	N	N	Z	O	B	W	U	Z
D	U	B	C	T	V	E	R	B	V
H	C	L	H	T	H	L	H	I	W
G	H	P	B	G	K	I	K	R	P
Y	I	B	I	B	X	L	Y	T	N
C	C	M	S	L	H	Y	G	H	Y
B	K	Z	J	E	S	U	S	W	J
O	M	H	J	A	T	B	W	W	Y
T	U	R	K	R	I	S	E	N	D

HAPPY EASTER!

Made in the USA
Las Vegas, NV
01 April 2021